Den Einwohner von Sausheim gewidmet,
mit denen wir rund um den blauen Stein
einen so schönen Nachmittag verbracht haben.

Anne-Gaëlle Balpe

minedition
verlegt in der Michael Neugebauer Edition, Bargteheide

ISBN 978-3-86566-185-2

Bibliografische Information der Deutschen Bibliothek
Die Deutsche Bibliothek verzeichnet diese Publikation in der
Deutschen Nationalbibliografie; detaillierte bibliografische Daten sind
im Internet über http://dnb.ddb.de abrufbar.

Mehr Information über unsere Bücher finden Sie unter: www.minedition.com

Anne-Gaëlle Balpe

Der rote Faden

mit Bildern von **Eve Tharlet**

Übersetzung von **Bruno Hächler**

minedition

Eines Tages, als der Wind wieder einmal besonders heftig blies, ging Oli spazieren. In der Hand hielt er einen Wollfaden.
Es war ein kleiner roter Faden, der vom Kopf einer Puppe heruntergefallen war. Oli hatte ihn aufgehoben und behalten.

Plötzlich packte der Wind den roten Faden
und riss ihn Oli aus der Hand.
Oli rannte hinterher, aber der Faden war schon
in den Bäumen verschwunden.

„Vielen Dank!", hörte Oli eine Stimme sagen.
Er schaute nach oben und sah einen Vogel,
der den Faden in seinem Flügel hielt.
„Genau so einen Faden kann ich brauchen, um mein Nest
fertigzubauen. Er ist weich und warm ... einfach perfekt."

Oli lächelte.
Er war glücklich, dass
dieses kleine Stück Wolle
jemandem nützlich war.
„Weißt du was?",
sagte der Vogel.
„Ich gebe dir dafür zwei meiner Federn."
Die Federn wirbelten vor Olis Füße.
Oli hob sie auf.
Dann lief er weiter.

Kurz darauf kam Oli an einen See.
Der Wind zauberte feine Wellen auf das Wasser.
Da hörte Oli von unten eine winzige Stimme.
Er bückte sich und entdeckte eine Ameise.

„Kannst du mir die Federn, die du in der Hand hältst, geben?",
fragte die Ameise. „Ich könnte damit den See
überqueren und nach Hause fahren."
Oli setzte die Ameise vorsichtig auf eine der Federn.
Aus der zweiten machte er ein Segel und stellte
das Ganze auf das Wasser.
„Diese Federn sind stark und leicht ... einfach perfekt!
Weißt du was? Ich gebe dir dafür drei Samenkörner,
die ich heute Morgen gefunden habe."

Oli war glücklich, dass die zwei Federn jemandem geholfen hatten. Er streckte die Hand aus, nahm die Körner und schaute, wie der Wind die Ameise in ihrem Boot davontrieb. Dann lief er weiter.

Schließlich setzte sich Oli in den Schatten
eines Baumes, um sich auszuruhen.
Er legte die Samenkörner neben sich,
schloss die Augen und hörte der Musik zu,
die der Wind in den Blättern spielte.

Plötzlich spürte er ein Pieksen.
Er öffnete die Augen und sah einen Igel,
der an den Samen schnupperte.
„Diese Samen könnte ich gut brauchen",
quiekte der Igel. „Meine Kinder haben Hunger.
Das wäre ein prächtiges Essen."
„Nimm sie, ich schenke sie dir", antwortete Oli.
Er war glücklich, dass die Samenkörner jemandem
nützlich waren. Und noch glücklicher war er,
wenn er daran dachte, dass die
Igelkinder bald keinen Hunger
mehr haben mussten.

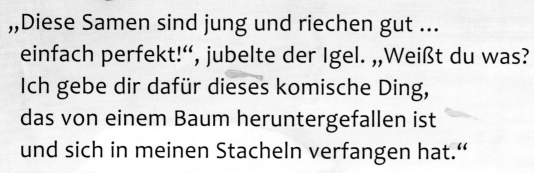

„Diese Samen sind jung und riechen gut ...
einfach perfekt!", jubelte der Igel. „Weißt du was?
Ich gebe dir dafür dieses komische Ding,
das von einem Baum heruntergefallen ist
und sich in meinen Stacheln verfangen hat."

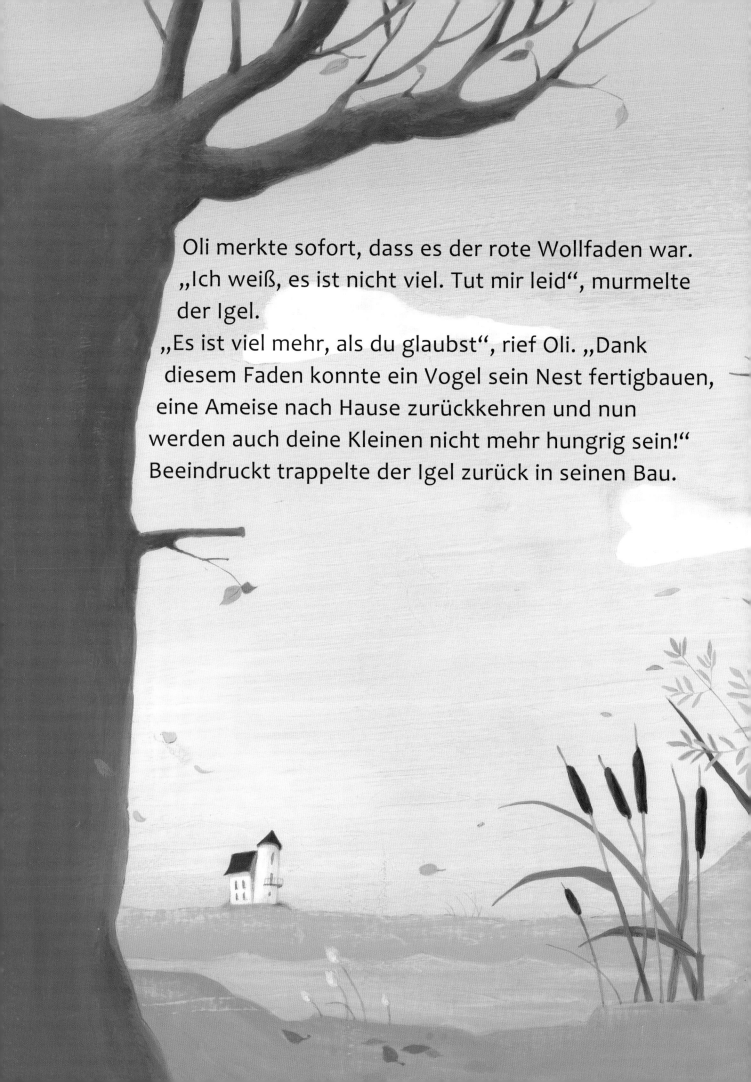

Oli merkte sofort, dass es der rote Wollfaden war.
„Ich weiß, es ist nicht viel. Tut mir leid", murmelte
der Igel.
„Es ist viel mehr, als du glaubst", rief Oli. „Dank
diesem Faden konnte ein Vogel sein Nest fertigbauen,
eine Ameise nach Hause zurückkehren und nun
werden auch deine Kleinen nicht mehr hungrig sein!"
Beeindruckt trappelte der Igel zurück in seinen Bau.

Oli aber stellte sich in den Wind
und öffnete seine Hand.
Der rote Wollfaden flog davon,
tanzte durch die Zweige.
Höher,
höher trug ihn der Wind –
wisst ihr wohin?